Britta Teckentrup

Teich Às An Amar Agam!

acair

'S e àm an amair a th' ann dha Eilidh.

Hallò Eilidh!

Tha Eilidh **dèidheil** air stuaghan.
An cuidich thu i gan dèanamh?
Crath an leabhar gu socair bho thaobh gu
taobh agus faic dè a thachras nuair a thèid
thu chun an ath dhuilleag . . .

'S math a rinn thu!

Seall air na stuaghan ud!
Tha Eilidh ag iarraidh tuilleadh cluiche.
A-nis, tionndaidh an leabhar chun an
taobh clì agus faic dè a thachras . . .

Hu-rè!

Abair **plòigh!**
A-nis, cuir an leabhar chun an taobh ceart!

Ach dè a tha seo?

Tha **crogall** ann an amar Eilidh!

Agus… dh'fhalbh e le tunnag phlastaig Eilidh.

Chan eil Eilidh a' coimhead toilichte idir.

An èigh thu,

"Teich, a Chrogall!"

An èigh thu nas àirde?

Obh, obh!

Cha do dh'obraich siud.
Tha Crogall **fhathast**
ann!

Agus a-nis tha Flamingo anns an amar cuideachd!

Agus seall . . .

Tha Tìgear air
leum a-steach le . . .

Splais!

Tha an amar seo **gu math** làn.
'S **cinnteach** nach eil rùm ann do neach eile.

Eeee! 'S e luch a th' ann!
A-nis tha fada cus bheathaichean anns an amar.
Nach fheuch sinn rin crathadh a-mach?
Tòisich a' crathadh!

**An crath thu
nas cruaidhe?**

Cha do chuidich sin idir! Agus chan eil Eilidh
toilichte idir. Tha i ag èigheachd,

"Teich às an amar agam!"

An urrain **dhutsa** èigheachd ri na beathaiche-
an eile, cuideachd? Ach, dè a tha Eilidh a' dèanamh?
Tha i a' deocadh an uisge **gu lèir** suas a sròin gus . . .

. . . am falbh am bùrn
gu lèir.

BBKKK!

Tha na beathaichean air chrith.
An urrain dhutsa a dhol air chrith, cuideachd?
"Tiugainn a-mach à seo!" ars' iadsan,
agus tha iad uile a' falbh.

Agus nuair a tha Eilidh **dha-rìribh**
cinnteach gun dh'fhalbh na
beathaichean gu lèir . . .

Spùtaidh i
am bùrn gu lèir
air ais
dhan amar!

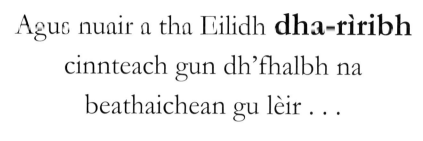

Aaaa!

A-nis tha **tòrr** rùm ann an
amar Eilidh a-rithist.
Eilidh **ghlic**!

Tapadh leat fhèin airson a cuideachadh.

'S dòcha gu bheil an
àm ann dhut **fhèin** a
dhol dhan amar a-nis?

Do Silke

— B.T.

A' chiad
fhoillseachadh
sa Bheurla 2015
le Nosy Crow Earr,
14 Baden Place, Crosby Row,
Lunnainn SE1 1YW

www.nosycrow.com

Tha na logos an cois Nosy Crow nan
comharran malairt agus/no nan comharran
malairt de Nosy Crow Earr.

1 2 3 4 5 6 7 8 9 10

Dlighe-sgrìobhaidh Faclan agus dealbhadh
© Britta Teckentrup 2015

Tha Britta teckentrup a' dleasadh na còraichean
a bhith air an aithneachadh mar an ùghdar agus
neach-deilbh na h-obrach seo.

A' chiad fhoillseachadh sa Ghàidhlig ann an
2021 le Acair, An Tosgan, Rathad Shìophoirt,
Steòrnabhagh, Eilean Leòdhais HS1 2SD

info@acairbooks.com   www.acairbooks.com

© an teacsa Ghàidhlig Acair, 2021
An dealbhachadh sa Ghàidhlig le Mairead Anna NicLeòid
Tha Acair a' faighinn taic bho Bhòrd na Gàidhlig.
Gheibhear clàr catalog CIP airson an leabhair seo ann an
Leabharlann Bhreatainn.
Clò-bhuailte ann an Sìona. LAGE/ISBN 978-1-78907-101-6

Tha am pàipear air a chleachdadh airson an leabhair seo
dèanta à stuth nàdarrach à fiodh a chaidh fhàs ann
an coilltean seasmhach, agus tha e comasach
ath-chuairteachadh.

Riaghladair Carthannas na h-Alba
Carthannas Clàraichte/Registered Charity SC047866